MARGUERITE
YOURCENAR
de l'Académie Française

Sur quelques thèmes érotiques et mystiques de la Gita-Govinda

&

L'Andalousie ou les Hespérides

Rivages/Cahiers du Sud

Sur quelques thèmes érotiques et mystiques de la Gita-Govinda

L'Inde a de grands mythes érotiques : Parvati et Shiva unis dans une étreinte qui dure des millions d'années divines, et dont le produit risquerait de détruire le monde ; Shiva séduisant les épouses des anachorètes hérétiques qui suscitent des monstres pour se venger, et ne parviennent qu'à fournir au Dieu de nouveaux attributs et de nouvelles parures ; la tête coupée de Kâli posée sur le corps d'une courtisane de bas étage, et le divin soudé à ce qui passe pour l'immonde. De tous ces mythes, le plus beau sans doute, le plus chargé de significations dévotionnelles et mystiques, celui où s'épanchent le mieux, non seulement les émotions des sens, mais aussi celles du cœur, c'est la descente de Krishna dans la forêt parmi les bergères. Le pasteur céleste s'égare dans les bois, charmant des sons de sa flûte les bêtes, les démons, les femmes. Les *Gopis,* les tendres vachères, se pressent autour de lui dans les halliers où paît leur bétail. Le Dieu qui est partout satisfait à la fois ses mille amantes ; chacune, si on ose ici détourner de son sens un vers célèbre, l'a pour soi seule et toutes l'ont en entier. Cette fête phallique est un symbole des noces de l'âme avec Dieu.

Nous sommes ici à l'un des grands embranchements du Mythe. Ce dieu autour de qui rôdent dans les bois des filles folles de leur corps, et qui leur dispense à la fois l'ivresse charnelle et l'ivresse mystique, c'est Dionysos ; ce musicien rassurant les bêtes apeurées, c'est Orphée. Ce pasteur comblant les besoins d'amour de l'âme humaine est un Bon Pasteur. Mais Orphée, sur les bords du Strymon barbare, meurt d'avoir dédaigné le désir furieux des Bacchantes ; Dionysos entraîne ses Ménades en pleine sauvagerie, dans un monde inquiétant que hantent les plus vieilles terreurs de l'homme ; le Bon Pasteur chrétien est inséparable de la Croix. Rien de sombre ou de tragique au contraire dans l'aventure de l'Orphée-Bacchus des bords du Gange. L'union de Krishna et des vachères s'accomplit en pleine paix, au sein d'une édénique innocence. La forêt mystique de Vrindavana appartient au domaine de l'éternelle pastorale. Vénus dans l'étable auprès d'Anchise ou dans la clairière avec Adonis, Apollon paissant les troupeaux pour l'amour d'Admète, Tristan et Isolde dans la cabane de branchages, Siegmund et Sieglinde au seuil de la hutte écoutant les murmures de la nuit de printemps, Tess d'Uberville cachant son amour dans la laiterie parmi les filles de ferme, et jusqu'aux figurants poudrés des bergeries du XVIIIe siècle, tous ces personnages replongés dans un monde à la fois idéal et primitif, qui nous paraît d'abord factice, et qui ne l'est pas plus qu'aucun rêve de bonheur, ont pour lointains prototypes l'ardent Krishna et ses chaudes vachères.

Que le Christianisme ait tenté de ramener l'âme humaine à un état d'innocence pré-pubère, d'ailleurs plus imaginaire que réel et fort éloigné de la véritable enfance ; qu'il ait voulu, et en grande partie accompli une désacralisation du sensuel, sauf dans l'état de mariage, et que là même il l'ait entouré de trop d'interdictions pour n'y pas installer à perpétuité la notion de péché, cela n'est guère douteux. Mais le mal vient de plus loin que l'Evangile et l'Eglise. L'intellectualisme grec, le rigorisme romain avaient travaillé de bonne heure à une scission entre l'esprit et la chair. *Le Banquet,* le plus noble exposé de l'érotique hellénique, est aussi le chant du cygne de la volupté pure : les sens y sont déjà les serviteurs qui tournent la meule de l'âme. Sénèque n'a guère moins de dédain pour la chair que l'auteur médiéval de *De Contemptu Mundi.* Plus tard, en Europe occidentale, l'influence des superstitions et des codes barbares est venue renforcer le moralisme de l'Eglise : les Celtes et les Germains brûlaient ou noyaient leurs amants illicites avant Jésus-Christ. Plus tard encore, la respectabilité bourgeoise, les idéologies capitalistes ou totalitaires, les constructeurs de l'homme robot ou de l'homme cybernétisé ne se méfieront pas moins du libre jeu des sens que de celui de l'âme.

La volupté aura été tour à tour pour l'Européen un plaisir plus ou moins licite, mais indigne d'occuper longtemps un philosophe et un citoyen, un échelon mystique de la connaissance des âmes, un honteux assouvissement de la Bête qui fait pleurer l'Ange, un coupable superflu introduit dans le saint brouet du mariage, le sublime couronnement d'un unique amour, un aimable passe-temps, une tendre faiblesse, un thème à plaisanteries égrillardes, et le manuel de gymnastique des traités de l'Arétin. Chacun y met du sien : Sade ses froides fureurs, Valmont sa vanité et la Merteuil son goût de l'intrigue, les amateurs de complexes freudiens leurs souvenirs d'enfance, les idéalistes leur hypocrisie. Dans l'art, même aux époques les plus favorisées et les plus libres, le peintre et le sculpteur, pour exprimer la poésie des sens, ont dû se chercher des alibis mythologiques ou légendaires, ou mettre sur leurs tendres nus le vernis protecteur de théories esthétiques : Ingres lui-même n'eût pas volontiers avoué combien il entrait dans *Le Bain turc* de pure volupté. Dans la littérature, il est plus difficile qu'on ne croit de rencontrer l'image du plaisir goûté tel quel, sans qu'interviennent pour rassurer le lecteur et mettre à couvert l'auteur une morale postiche ajoutée après coup, un dégoût ou une abjection préfabriqués, la vulgarisation scientifique à tout faire, le mince sourire ou le gros rire qui font tout passer. Rien de plus dépaysant que de remonter du fond de cette confusion au naturalisme sacré de l'érotique hindoue, à la notion du divin ressenti par l'intermédiaire du physiologique, qui imprègne les jeux amoureux du *Krishna Lali.*

Un exotisme à bon marché se plaît à exagérer dans l'ordre sensuel le laisser-aller de l'Asie. Les codes primitifs de l'Inde sont pourtant à peine moins rigides que le *Lévitique :* on y sent à l'œuvre ces éternels pouvoirs répresseurs que sont la terreur superstitieuse du fait sensuel, la jalousie ou l'avarice du chef et du père qui tend à faire du troupeau féminin un cheptel bien gardé, l'ignorance, la routine, le raisonnement par analogie, le souci de réduire le luxe sensuel au strict nécessaire génital, et plus encore peut-être le curieux instinct de l'homme pour compliquer ou simplifier arbitrairement ce qui est. Les codes, certes, sont une chose, et la coutume une autre : cela est vrai surtout du domaine sensuel, dans lequel, plus que partout ailleurs, l'être humain semble posséder la faculté de respirer à l'aise dans une zone comparable à celle des grands-fonds, bien en-dessous de la surface changeante des idées, des opinions, des préceptes, bien en-dessous même de la couche du fait exprimé par le langage ou clairement perçu par celui qui l'accomplit. Tel geste amoureux traditionnellement condamné par les Ecritures védiques figure librement dans les bas-reliefs du *Krishna Lali.* Il n'en est pas moins vrai que partout, et à toute époque, l'ambivalence règne en matière de morale sexuelle, ni plus ni moins du reste qu'en toute autre chose, et qu'à un *oui* prononcé sur certains points correspond un *non* prononcé sur certains autres, comme si une sévérité ici devait immédiatement compenser une liberté prise là. L'Inde a précipité le mariage de ses filles, pour n'avoir pas à se reprocher le manque de satisfaction chez une femme nubile, mais cette même Inde a cloîtré ses veuves ou les a livrées au bûcher. A l'époque où le sculpteur hindou représente avec tant d'aisance les ébats de Krishna et des vachères, les images de l'Enfer hindouiste menacent les luxurieux de tourments aussi atroces que ceux qu'infligent aux pécheurs charnels les diables de nos cathédrales.

Toutes les grandes religions nées du sol de l'Inde ont préconisé l'ascétisme. L'obsession brahmanique de l'Etre, l'obsession bouddhique du Néant aboutissent chez le Saint au même résultat qui est le dédain de ce qui passe, change et finit. L'anachorète hindou se libère par l'ascèse ; les sculpteurs de l'école gréco-gandharienne ont montré Bouddha quittant le groupe voluptueusement défait des femmes endormies. Mais ce départ ne signifie pas fuite devant le péché ; cet ascétisme ne signifie pas pénitence, pas plus que la crainte de l'impureté rituelle ne correspond exactement à l'obsession chrétienne du péché de la chair, dont elle est pourtant la racine. Le détachement du sage hindou n'implique ni dégoût, ni réprobation puritaine, ni hantise de l'abjection charnelle. Dans certaines sectes même, comme d'ailleurs dans tel groupe hérétique au sein du christianisme, l'acte sexuel deviendra pour le mystique ce qu'il n'a jamais cessé d'être pour la religion populaire, l'un des symboles et l'une des formes de l'union avec Dieu. L'Etre absolu, l'Athman suprême comprend en lui le jeu amoureux des milliers d'êtres qui composent les mondes ; les étreintes frénétiques des déités du bouddhisme tantrique sont une part acceptée du Cycle des Choses.

Plus s'est développée dans l'art une sensibilité proprement hindoue, plus l'érotisme s'est installé dans l'expression des formes. Cet érotisme qui baigne délicieusement les longs nus sveltes des fresques d'Ajanta, renfle à Kaïlasa les courbes presque rococo des déesses-rivières, et atteint à une dansante fureur dans la statuaire shivaïte d'époques plus tardives, nous le retrouvons, dans des corps cette fois de proportions plus trapues, dans les bas-reliefs de Khajuraho, d'Aurangabad, de Mahavalipuram consacrés aux amours de Krishna et des laitières. Chairs rondes, lisses, quasi élastiques, denses de la molle densité du miel coulant sur du miel. Tranchés, il semble que ces troncs offriraient à l'œil un intérieur homogène et charnu comme la pulpe d'un fruit. Coupés, ces bras et ces jambes repousseraient comme des tiges ou des racines. En eux circule, non du sang, mais de la sève, ou encore ce sperme que le corps d'un Bodhisattva contenait au lieu de sang. On hésite : cette main qui touche un sexe est-elle une main ou un autre sexe ? Est-ce un genou ou un coude qui se referme sur cette cuisse nue ? Ces bouches sont des ventouses, ces nez qui se frôlent s'étirent comme des ébauches de trompes. Ces *Gopis* ploient sous le poids de leurs seins énormes et galbés comme un arbrisseau plié par ses fruits.

Telle fille impétueuse, jambes repliées, talons joints, saute sur son amant-dieu comme une guenon sur un tronc d'arbre. Cet art d'aimer mélange les caractéristiques des sexes presque autant que celles des règnes : Krishna n'atteint pas à l'inquiétante féminité de Shiva, cet autre époux infatigable, mais les coiffures, les ornements, le rythme des formes prêtent à l'équivoque sinon à l'erreur. Tel fragment où deux bouches s'unissent, où deux corps s'enlacent, pourrait être deux *Gopis* s'étreignant l'une l'autre. C'est par l'organe du sexe seul que ce dieu si mâle se révèle évidemment mâle. Par moments, il semble bien que l'humour se glisse dans ces scènes sacrées de la statuaire hindoue comme dans l'œuvre de nos imagiers du Moyen Age, y mette l'équivalent de ce petit rire étouffé, qui est non moins que le soupir, un des bruits de l'amour. Mais nulle part la crispation nerveuse quasi insoutenable de certains dessins licencieux japonais, ou l'énoncé intelligent, presque sec, de tel vase grec à sujet obscène. Cette sensualité profuse s'étale comme un fleuve sans pente.

La très chère était nue et connaissant mon cœur
Elle n'avait gardé que ses bijoux sonores...

Entre le VIe et le XIIIe siècle de notre ère, une Inde qui a absorbé et en partie éliminé la leçon gréco-grandharienne, et qui n'a pas encore subi le nouvel afflux occidental que lui apportera l'art persan, exprime l'aventure amoureuse du « Dieu Bleu » en termes purement hindous, à l'aide de conventions qui changent si peu qu'il est difficile de distinguer à première vue une *Gopi* des grottes d'Aurangabad d'une *Gopi* de Khajuraho, sa cadette d'environ sept siècles. Les grosses têtes de poupées aux coiffures savantes sont bien en ordre, en dépit des acrobaties de l'amour ; l'œil, ou plutôt la paupière est dessinée à plat, d'un seul trait aveugle qui suggère le rehaut conventionnel des fards de théâtre, et comme s'il s'agissait moins d'ouvrir les yeux pour voir que de les fermer pour jouir ; le luxe des joyaux harnache la chair nue. Le bijou, le fard, la coiffure sont partout une manière de faire porter au nu la marque spécifique d'une civilisation et d'un temps : ce Krishna tout cliquetant de colliers est un radjah parmi ses femmes ; ces *Gopis* possédées dans la forêt à l'aube des siècles sont des ballerines sacrées professionnellement déhanchées par des postures de danse ; cette fille bizarrement pliée, une plume entre les doigts, teignant de rouge la plante de son pied, accomplit un rite immémorial de sa toilette d'épouse.

L'ubiquité même de l'étreinte divine traduit le vœu le plus secret du harem à l'heure du plaisir. Des raffinements esthétiques ou sensuels qu'un poète européen comme Baudelaire goûte nostalgiquement, presque perversement, avec une sensibilité d'autant plus poignante qu'elle s'éprouve à contre-courant de son temps, appartiennent ici au langage banal et stylisé de l'amour. L'insolite et l'illicite, ces deux ingrédients indispensables de toute pornographie, sont complètement hors de cause.

L'époque où l'art et la piété hindous évoquaient dévotement l'union de Krishna avec ses amantes est à peu près celle ou, dans les forêts et sur les landes de l'Europe du Moyen Age, l'antique phallisme paysan et païen proscrit par l'Eglise se réfugiait dans les assemblées de sorcières. Les mille belles pressées dans la forêt contre l'amant merveilleux et la vieille aux seins pendants, chevauchant son balai ou agrippée au bouc des Sabbats, courant au Harz copuler avec Satan sont deux expressions à peu près contemporaines du désir. Les trémoussements amoureux des *Gopis* peuvent lasser nos yeux, et même nos sens ; mais cet érotisme candide a préservé l'Inde de nos diableries tristes.

En dépit du mérite de la traduction (peut-être même du fait de celui-ci) il est difficile de juger équitablement des qualités littéraires de la *Gita Govinda,* le long récitatif lyrique que le poète bengali Jayadeva consacra au XIIe siècle de notre·ère chrétienne à l'aventure de Krishna et des laitières. Non à cause de son éloignement dans le temps et l'espace, mais parce que cette œuvre trempée de parfums, et qui répond presque exagérément à l'idée que l'imagination populaire se fait de la poésie amoureuse de l'Orient, s'accorde mal avec les goûts et peut-être les préjugés littéraires particuliers au lecteur européen de cette seconde moitié du XXe siècle. Nous avons perdu l'habitude de ces luxuriances et de ces langueurs.

Parmi toutes les littératures poétiques de l'Asie, celle de l'Inde, de Kalidasa à Tagore, nous surprend toujours par sa prodigalité, sa mollesse, son emphase répétitive, son indifférence relative au fait humain, immergé qu'il est dans le flux universel, la saveur capiteuse et fade de son romantisme. Jayadeva ne fait pas exception à la règle. Cet art n'est nullement primitif ; il est savant, littéraire même ; le poète bengali se trouve vis-à-vis de l'épopée sanscrite dans la position des Alexandrins à l'égard d'Homère. Jayadeva reprend des thèmes traités dans la Bhagavata, texte lui aussi relativement récent, mais qui s'alimente à un passé déjà deux fois millénaire, ou dans les Purana, en qui perce l'immémorial substratum d'une Inde archaïque plus antique que les Védas eux-mêmes.Jayadeva toutefois insiste davantage sur le côté romanesque et voluptueux du mythe : le motif des plaisirs accordés aux mille vachères alterne avec celui des plaintes de Radha, la délaissée, jusqu'au moment où le dieu accorde enfin à la belle éplorée sa part de bonheur. Mais l'univers poétique de l'Inde n'est pas celui de l'individuation, pas même celui de la personne : tandis que chacune des mille et trois de la liste de Don Juan est encore une petite créature séparée, si falote qu'elle soit, et plus ou moins différenciée des autres, les mille amantes dépeintes par Jayadeva pourraient être à la fois le peuple entier des femmes et une seule et même femme ; chaque *Gopi* à son tour pourrait être Radha. Cet univers n'est pas non plus celui du tragique : la jalousie n'est qu'une inquiétude passagère ; la douleur se défait immédiatement dans la jouissance. Le lecteur errant parmi ces moites images de nudités pâmées finit par songer malgré lui à cette curieuse fantaisie de la littérature française pré-classique, au personnage du *Songe de Francion* foulant délicieusement un parterre de seins.

L'analogie animale et végétale prolifère en effet chez Jayadeva comme dans la sculpture des temples : Krishna est « le danseur étincelant qui multiplie ses membres », « le tronc d'où jaillissent des rameaux becquetés des oiseaux ». Les cheveux sont des lianes, les bras des tiges, les seins les noix du palmier, les vulves la fleur du lotus. Surpris par une ressemblance qui est un poncif de l'esthétique hindoue, Krishna prend la trompe d'un jeune éléphant pour la cuisse de la bien-aimée. Ce qui en Grèce s'exprimerait par la métamorphose se traduit ici par une sorte de délirante similarité. La *Gita Govinda* est inséparable, non seulement des harmoniques d'allusions et de résonances littéraires dont nul poème ne peut se passer, mais surtout de la civilisation hindoue tout entière, de cette culture à la fois plus élaborée que la nôtre et plus proche du milieu naturel dont elle est issue, de l'ambiance de la petite cour où ces vers furent composés et récités pour la première fois dans quelque pavillon au bord d'un étang, des femmes, des bêtes apprivoisées, du goût sucré et poivré des friandises, des musiques entêtantes, des facilités offertes au désir tout ensemble insatiable et immédiatement apaisé, de tout ce qui justifie et alimente autour de Jayadeva la mystique glorification du plaisir.

C'est à l'époque qui correspond à peu près à notre Moyen Age, et c'est au Bengale en particulier, que s'est en effet développée autour du mythe de Krishna cette *bhakti,* cette mystique dévotion à l'ineffable Amour, point si différente, *mutatis mutandis,* de certaines formes de la sensibilité chrétienne récurrente au cours des siècles. Bien plus, dans sa réaction contre la spéculation métaphysique en faveur de la piété concrète, l'Inde médiévale semble avoir vécu une évolution comparable à celle que connut quelques siècles plus tard le catholicisme de la Contre-Réforme. Les pâmoisons de la Sainte Catherine du Sodoma ou de la Sainte Thérèse du Bernin, le sein de Madeleine tendrement caché sous les cheveux en désordre de la pénitente trahissent le même besoin de mêler l'extase sensuelle à l'extase religieuse que les *Gopis* hindoues traduisent simplement par la volupté. Dans les deux cas, il s'agit d'établir la plus intime union entre le sujet adorant et l'objet adoré, d'obliger l'absolu, l'infini ou l'éternel à s'incarner dans une figure humaine, parfois trop humaine, qui puisse non seulement inspirer l'amour, mais répondre à l'amour. Avec Jayadeva, nous sommes à la fois près et loin du Krishna avatar solaire des Ecritures védiques, près et loin du sublime Seigneur à qui la *Bhagavad Gita* fait exprimer la plus redoutable pensée de l'hindouisme : l'indifférence de l'être indestructible pour ces accidents transitoires que sont la naissance et la mort ; l'identité de la création et de la destruction ; l'inanité du faible bien et du faible mal délimités par l'homme en présence de la terrible vie qui déborde toutes les formes. Ce Krishna torrent de délices rejoint les conceptions plus anciennes par le sentiment de l'énormité des largesses divines. Bien qu'engagé dans la chair, le dieu reste trop tumultueux, trop indifférencié, pour que la pieuse *Gita Govinda* s'apparente en quoi que ce soit au tremblant et confiant dialogue que d'autres poètes ont engagé avec la personne divine, tel ce chant poignant des soufis qui, dans la Perse de ce même XIIe siècle, évoquait tendrement l'unique Aimé. Dieu ici est Amant plus qu'il n'est Ami.

Evitons l'erreur qui est de nos jours celle de tant d'archéologues aventurés sur le terrain de l'anthropologie, et qui consiste à faire déteindre un passé plus ancien sur un passé plus récent, auxquels la vieille pensée primitive ne sert plus tout au plus que d'inconscient substratum. Le Krishna de Jayadeva, pas plus que l'Attys de Catulle ou l'Adonis des élégiaques grecs, n'est réductible aux simples termes d'un mythe tribal de fertilité. C'est de nos sens à nous qu'il s'agit, et de nos délices. L'érudit qui ramène un mythe ou un rite sexuel à la seule signification utilitaire et tribale (et le désinfecte ainsi, consciemment ou non, d'un érotisme qui le gêne) simplifie d'ailleurs à l'excès ce monde de la préhistoire : le primitif a des sens comme nous. Mais méfions-nous tout autant de l'erreur plus éthérée qui consiste à voir dans la brûlante légende un symbole uniquement spirituel, une pure allégorie cachée. Réduire la part du ravissement sexuel dans la *Gita Govinda,* c'est aller à l'encontre des caractéristiques particulières de cette *Laya-Yoga,* qui précisément s'efforce d'atteindre à l'Absolu par l'entremise des puissantes énergies sensuelles. Le poète lui-même a défini nettement son dessein : « Ici sont exprimées sous une forme poétique les démarches variées de l'amour qui mènent au discernement essentiel de l'érotisme. » La volupté chez Jayadeva n'a pas à être traitée comme une sorte d'appât charnel qu'on escamote ensuite au profit d'une signification dite plus noble, au risque de laisser sur nos lèvres un goût d'équivoque ou d'hypocrisie. Comme le Lingam-Yoni devant lequel se prosternent les exquises princesses des miniatures mogoles, l'objet sexuel chez lui est à la fois manifestation et symbole. L'orgasme de Radha est bien l'extase de l'âme possédée par dieu, mais cette âme palpite dans la chair.

« Les paons dansent de joie... Les vaches accourent, mâchant encore leur herbe, et les veaux tout barbouillés du lait de leurs mères. Les bêtes pleurent de douces larmes en entendant la flûte du Berger... » dit à peu près l'antique *Bhagavata Purana.* Ni l'œuvre de Jayadeva, ni la plastique des temples ne font beaucoup de place dans la légende à cette douce présence des animaux qui emplit au contraire les images les plus suaves de la miniature mogole où Krishna déguisé en laitière trait les vaches avec ses amantes. Et cependant, cette présence de l'animal joue un rôle considérable dans l'idylle sacrée : l'extase divine et l'humain bonheur ne peuvent se passer du paisible contentement des humbles créatures exploitées par l'homme, et qui partagent avec lui l'aventure d'exister. C'est dans l'amour surtout que les Grecs mêlaient leurs bêtes à leurs dieux. On apprécie mal l'unique beauté du mythe hindou tant qu'on n'y a pas reconnu, à côté de la sensualité la plus chaude, et peut-être précisément parce que cette sensualité s'épanche à peu près sans contrainte, la fraîche amitié pour les êtres appartenant à d'autres espèces et à d'autres règnes. Cette tendresse, issue sans doute de la vieille pensée animiste, mais l'ayant depuis longtemps dépassée pour devenir une forme très consciente de charité, reste l'un des plus beaux dons de l'Inde au genre humain : l'Europe chrétienne ne l'a guère connue, trop brièvement, qu'au cours de la seule églogue franciscaine.

La légende sacrée ne s'exprime peut-être nulle part plus délicieusement que dans un objet de culte provenant de l'Inde du Sud, et aujourd'hui au Musée Guimet : un bas-relief sur bois où l'on voit Krishna habillé en berger jouer de la flûte aux bêtes du troupeau. Seuls, les quadruples bras rappellent dans cette image délicatement humaine la toute-puissante énergie divine : deux mains tiennent l'instrument ; deux mains bénissent. Cette œuvre assez tardive (certains érudits la font descendre jusqu'au XVIIe siècle) est l'une de celles où l'on voit le mieux, à travers la luxuriance hindouiste du style, s'exercer encore un lointain effet de l'influence grecque qui marqua l'art hindou à ses origines. Le hanchement du « Dieu Bleu » est presque praxitélien ; ses longs pantalons ondés diffèrent assez peu de ceux que l'art gréco-romain prêtait à ses jeunes dieux asiatiques, ses Attys ou ses Mithras. Une mélodie silencieuse, où nous reconnaissons cette musique poignante, physiologique et sacrée qui est celle de l'Inde, s'épand des lèvres du dieu sur les feuillages touffus, les bêtes, les formes indolentes et rythmées de la posture divine. Ce chant solitaire nous aide à mieux comprendre les trépignements frénétiques des *Gopis* autour des piliers des temples, le grand mouvement saltatoire des mille couples pâmés dans la forêt, et qui sont eux-mêmes la forêt des êtres. *Et Venus in silvis jungebat corpora amantium,* dit grandement Lucrèce. Ce que l'Inde ajoute à cette immense pastorale cosmique, c'est le sens profond de l'un dans le multiple, la pulsation d'une joie qui traverse la plante, la bête, la déité, l'homme. Le sang et les sèves obéissent aux sons du flûtiste sacré ; les poses de l'amour sont pour lui des figures de danse.

L'Andalousie ou les Hespérides

L'Espagne méridionale a porté bien des noms : Bétique romaine, Califat de Cordoue, Royaume de Grenade, et cette vieille appellation du temps des invasions barbares, Andalousie, c'est-à-dire terre des Vandales. Le plus ancien de ces noms demeure le plus significatif : les Hespérides, le seuil du couchant.

La Méditerranée a deux portes, l'Hellespont à l'Est, à l'Ouest les Colonnes d'Hercule (on ne parle pas ici de Suez, fissure faite de main d'homme) ; sa connaissance n'est complète que si l'on s'est engagé dans ces deux détroits, dans les régions qu'ils ferment ou qu'ils ouvrent. A l'extrême bord de l'Espagne comme aux confins de l'Asie Mineure et de la Thrace, l'Europe s'affirme en même temps qu'elle s'achève. Cet Orient, cet Occident oscillent depuis vingt siècles aux deux bouts d'une balance dont le fléau est Rome. Comme dans l'archipel hellénique, les empires se sont faits ou défaits ici à la merci des coups de vent et des hasards de l'abordage : l'Espagne a Trafalgar comme le Levant Actium ou Lépante. A Grenade comme à Constantinople, nous rencontrons la pointe avancée du monde de la tente et du désert établi au sein des jardins d'Europe. Cadix, *Ultima Gadès,* servit au monde gréco-romain de portail sur l'Atlantique comme l'antique Byzance sur la Mer Noire et l'Asie. Et l'air sec et léger de Séville, son rythme d'existence à la fois continental et maritime rappellent irrésistiblement Athènes.

Depuis les temps préhistoriques, l'Espagne a été surtout appréhendée par le flanc gauche ou la pointe : ce qui compte le plus en Andalousie a été apporté au creux des barques crétoises, grecques, ou puniques, des trirèmes de Rome et des felouques musulmanes. Impossible, si loin qu'on aille dans le passé, d'atteindre un moment où l'Orient, ses intermédiaires africains, et Rome, n'aient pas déjà marqué cette belle terre. Mais l'Espagne, l'Andalousie surtout, ressemble encore au Levant en ce que, méditerranéenne, elle ne l'est pourtant qu'à moitié. Elle est en porte-à-faux sur l'Atlantique, comme la Grèce sur l'Asie. Cette position excentrique, en frontière occidentale du monde connu, retarde son entrée sur la scène universelle : l'expansion coloniale de la Grèce, sa contribution unique et éternellement jeune à l'expérience humaine se placent au début de notre histoire ; l'Espagne très antique, mais développée plus tard, mûrie seulement sur certains points, précocement desséchée sur d'autres, n'atteint son destin qu'en pleine aventure de la Renaissance. L'abîme qui borde son flanc droit était certes moins menaçant que la grande masse asiatique qui surplombe la Grèce, puisque l'invasion n'en déferlait pas à intervalles réguliers, comme de l'Asie les hordes de Darius ou de Timour. Mais il était aussi plus obscur, plus incommensurable, plus vide, apparenté au néant, ou proche de mystérieuses et inaccessibles Atlantides.

Dès l'antiquité, les Grecs avaient vaguement situé au large de la côte ibérique l'île des Héros, les Champs-Elysées d'Achille, qu'une autre tradition place au bord opposé du monde alors connu, dans la Mer Noire. En plein Moyen Age, Dante, reprenant ce grand thème atlantique, entraînait son Ulysse loin d'Ithaque pour le faire sombrer corps et biens en vue des Canaries, ou peut-être du Cap Vert, sous un ciel où pointent des étoiles déjà différentes, et dans des parages que les *conquistadores* connaîtront plus tard. Mais c'est surtout à partir du début du XVIe siècle, tout près de l'époque où, par un hasard héraldique, l'image de la Toison d'Or commence de hanter les rêves des courtisans de Charles-Quint, que l'Atlantique devient effectivement la Mer Océane, dont Colomb, Pizarre et Cortez ont été les Argonautes, et où la Floride et le Mexique font figure de Colchides. La nudité et la force de cette terre, les vastes espaces inoccupés des plateaux et des sierras rapprochent pour ainsi dire l'Espagne, par delà l'océan, des pays encore presque sans histoire. Le port de San-Lucar d'où les premiers galions cinglèrent vers l'Ouest, le monastère de la Rabida où Colomb médita son voyage, les Archives de Séville où sont pieusement conservées les cartes et les mappemondes des grands explorateurs, sont des lieux où une image planétaire du monde s'est imposée à l'homme.

Le petit musée provincial de Cadix contient un sarcophage punique, frère des sarcophages sidoniens du Louvre : une lourde forme anthropoïde, un bras replié dans l'une des poses habituelles aux morts, et dont la main serre une grenade ou un cœur. Le dedans du sarcophage révèle un squelette vigoureux comme un tronc d'arbre. Ce Punique inconnu résume par avance une des grandes aventures de l'Espagne ; les Arabes suivront les Puniques ; l'Espagne catholique de la Reconquête reprend à sa manière la tâche de l'Espagne des Scipions ; Sagonte et Numance, fidèles jusqu'à la mort et aux flammes du bûcher, l'une à Rome, et l'autre à Carthage, dressent sur le sol ibérique deux exemples contradictoires de loyauté. A l'Alhambra éventé par les souffles de l'Orient islamique s'oppose dans Grenade le sévère palais de Charles-Quint. La mosquée transformée en chapelle où la Reine Catholique voulut reposer face à la ville conquise marque un des moments d'une guerre punique éternelle. A travers l'étape carthaginoise, des influences plus antiques encore se font jour : aux arènes de Séville, on pense aux tauromachies des fresques crétoises, aux acrobaties dangereuses de l'homme regardé d'en haut par d'indolentes spectatrices. La Vierge des Vendredis Saints, la Macareña scintillant de pierreries a pour sœur, au début des temps, la dame d'Elché sous ses parures phéniciennes. Une plastique grecque ou héritée des Grecs a contribué de part et d'autre à l'élaboration de ces deux pures idoles ; les traits durs et fins sont ceux de la beauté ibérique, mais l'ardeur, la fixité, et les pesants joyaux sont venus d'Orient.

L'Espagne romaine a duré environ sept siècles, qui constituent de beaucoup la plus longue période de paix qu'ait connue la péninsule. Partout, sur la carte et sur le sol de l'Andalousie actuelle, affleurent les villes, les routes, les aqueducs, les ports, les monuments de l'Espagne tranquille, surpeuplée, prospère, qui fournissait à Rome son cuir, sa viande salée, son alfa, et les lingots de ses mines. Mosquées et cathédrales s'étayent sur la ruine antique ; le pont de Cordoue a porté les légions de Galba. Ronda dans son cercle de montagnes garde la trace de Pompée ; le souvenir du grand partisan, infus dans toute la poésie espagnole, se retrouve encore aujourd'hui sur les murs dans les graffitis d'écoliers. Italica, patrie de Trajan, d'Hadrien, de Théodose, est plus qu'aux trois quarts enfouie sous la terre, mais ses mosaïques et ses quelques statues attestent une splendeur due aux efforts de l'artisan local hellénisé, ou au luxe des importations de Grèce et de Rome. Chez le noble poète espagnol du XVIIe siècle, Rodrigo Caro, Italica reste l'emblème de la solitude mélancolique, le lit desséché laissé par l'immense écoulement d'une vie disparue. Les Sévillans aiment à citer la phrase de Hume, rappelant que deux empereurs andalous, se succédant à Rome, assurèrent un de ses rares beaux siècles à l'humanité : Séville a sa rue Trajan, sa rue Hadrien.

Les historiens ont cherché à définir ce que fut cette infiltration du clan espagnol à Rome, phénomène qui se renouvellera plus tard du temps des Borgias : on a tenté de retrouver chez Hadrien, ici dans le goût des constructions colossales, là dans celui des fastes funèbres, des caractéristiques ibériques éternelles. On a cru voir un *espagnolisme* latent dans l'outrance d'un Sénèque ou d'un Lucain, ou dans le nihilisme ascétique de Marc-Aurèle. On pourrait aussi bien renverser les termes du problème, et se demander si ces plis si fortement marqués du tempérament ou de la pensée espagnols n'ont pas été creusés par la durable influence de Rome. N'oublions pas pourtant que cet individualisme stoïque, cette fougue baroque, ce goût impérial de domination universelle ne reparaîtront dans la péninsule que plus de mille ans après la chute de Rome, réintroduite par l'Italie de la Renaissance. Dans l'ensemble, l'Espagne n'hérite directement, semble-t-il, de son ascendance romaine que la part du patrimoine la plus ancienne, la moins touchée par les idéologies et les cultures, la plus commune en somme à toute la région méditerranéenne et à son faisceau de races, mais cette part est restée ici plus inaltérable et plus évidente qu'ailleurs : la danse qui rappelle les flexions et les torsions des filles de Gadès, joie des débauchés de Rome ; la cuisine avec ses fritures, ses salaisons, ses crudités, sa prédominance de lentilles et de fèves comme dans un menu de Martial ou d'Horace ; le Cirque et ses jeux sanglants ; la profonde *religio* ralliée autour des lieux consacrés et des statues toutes saintes ; le sens austère et patriarcal de la famille que tempère l'appétit très vif des plaisirs et des libertés charnelles ; plus essentiel encore que tout cela, l'agencement de la maison elle-même, l'atrium, le patio, la cour où babille une fontaine.

Après la paix romaine, la prospérité arabe ; elle aussi a duré environ sept siècles. Le flot arabe ne se retire que peu à peu de l'Espagne, au moment où, par un curieux phénomène d'équilibre, la marée turque envahit l'Orient chrétien : Grenade perdue succède à quarante ans de distance à Constantinople conquise. C'est dire que l'Islam en Espagne a sur sa contrepartie dans l'Orient grec l'avantage d'être plus près des sources, des origines, de l'Hégire. Le palais de Medina Alzahara, près de Cordoue, n'est plus qu'un tas de décombres presque pulvérisés et pourtant saisissants : c'est une Asie plus immémoriale que l'Islam, c'est l'Iran achémenide, ce sont les vers mélancoliques des poètes persans sur les demeures royales hantées désormais par l'onagre et la gazelle qu'on évoque dans ces salles nues, en présence de ce cerf de bronze où s'affirme une technique millénaire, de ces stucs et de ces tessons où l'obsession de la forme animale se déguise en arabesques et en rinceaux.

En dépit du bref hiatus vandale ou visigoth, l'arabe s'est le plus souvent en Espagne superposé d'emblée à l'antique : l'art d'une civilisation pour qui tout délice et toute géométrie aboutit à la forme humaine se voit remplacé par un art voué à la seule modulation de lignes qui s'étirent, s'enlacent, se caressent, ne signifient plus rien qu'elles-mêmes, musique abstraite, méditation mathématique éternelle. A Cordoue, foyer de culture qu'alimentèrent la ferveur musulmane, la subtilité juive, et certains concepts helléniques passés par l'alambic de la pensée arabe, ce peuple d'alchimistes, d'algébristes et d'astronomes atteint dans la Mosquée à la plus totale des transmutations, à l'équation la plus complexe, à l'équivalent parfait des secrètes cogitations d'un Averroès ou d'un Avicenne. Ces sourdes harmonies sont celles des sphères.

L'art arabe de Grenade, plus tardif, plus féminin, s'adresse à l'esprit à travers les sens. Une telle suavité linéaire annule tout pittoresque historique : l'égorgement des Abencerages ou la fuite de Boabdil comptent peu parmi ces prismes et ces étoiles de stucs, sous ces voûtes qui semblent avoir emprunté aux corolles, aux grottes, aux alvéoles des ruches leur secret si profondément naturel et si éloigné de l'humain. Cette perfection quasi végétale se passe de l'unité de style, ne dépend pas de l'authenticité du détail, subit avec une ravissante docilité toutes les injures : le Généralife aux revêtements effacés, aux pavillons refaits, aux bosquets retouchés par des jardiniers modernes reste ce que son constructeur arabe souhaitait qu'il fût : le paradis des méditations paisibles et des joies faciles. On n'éprouve même pas, à l'idée d'autres palais grenadins anéantis ou tombés en ruines, l'amer dépit qui nous saisit devant les blessures du Parthénon ou sur l'emplacement d'une cathédrale bombardée : on accepte que ces beaux objets aient fleuri et passé comme des narcisses.

L'art gothique andalou reste un art militaire, implanté par la Reconquête, ramené du Nord, sorte de moine armé. Devenu indigène, il porte aussitôt l'empreinte de mains mudéjares. Plus libéral que la religion et les mœurs, il accepte les unions mixtes, les secrets adultères. La cathédrale de Séville, énorme forteresse de la foi catholique, installe ses cloches dans sa Giralda musulmane et garde au plus secret d'elle-même sa cour arabe des Orangers. Mais le gothique sévillan n'est que l'exception qui prouve la règle : presque partout, c'est l'art renaissant (que les manuels espagnols qualifient symptomatiquement de gréco-romain) et ses succédanés baroques qui proclament en Andalousie le triomphe définitif de l'Occident. Même à Cordoue, pourtant reconquise sur l'Islam plus de deux siècles avant Grenade et vingt ans avant Séville, l'éventrement de la mosquée ne date que du temps de Charles Quint : c'est au Baroque qu'est dévolue la charge d'attester, sinon les vérités de la foi, du moins la gloriole des chanoines. Cet art tout de pompe et de parade soufflette le visiteur au moment où d'arceaux en arceaux, de colonnades en colonnades, il approche du centre de l'édifice, et fait voler en miettes, comme sous l'effet d'une bombe, l'une des plus nobles méditations jamais faites sur le plein et le vide, la structure de l'univers, le mystère de Dieu. C'est dans des décors Renaissance ou Baroque que se sont déroulés, jusqu'en plein XVIIIe siècle, les procès d'Inquisition. C'est dans une chapelle Renaissance qu'Isabelle la Catholique repose après ses frénésies de croisade. Mais ce Renaissance, ce Baroque ne sont pas comme en Italie l'affirmation d'une nouvelle et laïque volonté de vivre, un cri d'orgueil papal ou princier. Le palais de Charles Quint à Grenade, considéré pour soi, et non dans ses rapports avec l'Alhambra qu'il écrase, est l'un des plus beaux spécimens de l'architecture Renaissance, mais sa sévérité, sa dureté passent de beaucoup celles des palais romains ou même florentins qui l'ont inspiré ; son plan a beau être emprunté à la villa romaine du Pape Jules ; il n'y ressemble pas plus qu'à un homme vêtu de soie, un homme vêtu d'acier.

Une pensée restée médiévale emplit ces églises italianisantes, où nous sommes habitués à ne chercher en d'autres pays qu'une rhétorique religieuse tout humaine ; le néant de la gloire terrestre s'y révèle par antiphrase, comme dans ce caveau béant et nu, cette espèce de pourrissoir où quatre cercueils rouillés s'alignent côte à côte, à Grenade, sous les tombeaux d'apparat des Rois Catholiques. L'intérieur des chapelles de Séville regorge de la même intimité noire et dorée qu'un oratoire byzantin, auquel elles succèdent d'ailleurs directement sur cette terre où l'arianisme vandale précéda l'Islam. Bien plus, la répétition infinie du détail, la prolifération des formes, la multiplicité obsédante des figurations divines et humaines font parfois rêver aux temples de l'Indouisme plutôt qu'aux basiliques de Rome. Le Baroque, art violent, fait pour impressionner les masses, ne représente pas seulement ici les accès de grandiloquence d'une race taciturne : il devient l'expression normale d'un peuple habitué désormais aux tensions extrêmes, sevré des calmes abstractions de l'art arabe et mudéjare, mais à qui l'équilibre de l'art gréco-romain est devenu foncièrement étranger. Les manifestations les plus baroques de la vie andalouse sont aussi les plus enracinées dans le Moyen Age chrétien ou dans un passé antique et non-chrétien plus lointain encore : pompes des processions tauromachiques, broderies des costumes de toreros, souvent déchirés et sanglants, que raccommodent des petites mains dans un atelier de couture de Séville, costumes des danseurs du Corpus Christi, pourpre du Nazaréen flagellé et exposé au peuple, traînant comme une vague de sang sur les têtes de la foule, argenterie et catafalques des Samedis Saints.

La peinture sévillane (et l'on peut ranger sous ce nom les peintres nés à Séville, comme Murillo et Valdez Léal, ceux qui y firent leur apprentissage, comme Vélasquez, ou leur carrière, comme Zurbaran) tient tout entière dans les limites d'un siècle, le XVIIe, mais ses fruits sont en vérité ceux des Hespérides. Ces peintres portés aux nues pour leur lyrisme individuel ou leur réalisme impitoyable sont pourtant et très fortement des italianisants : rien dans leur œuvre qui ne soit pas déjà chez les Vénitiens ou chez Caravage, rien sauf bien entendu le tempérament et l'inimitable accent. Leurs thèmes favoris sont caractéristiquement espagnols, en ce qu'ils témoignent du choix de l'artiste, ou du mécène espagnol au XVIIe siècle ; ils suivent néanmoins les grands courants de l'art européen de la Contre-Réforme, mélodrames religieux, portraits de clients aristocratiques ou de gens d'église, et scènes de genre ou natures mortes inspirées par l'art du Nord. Mais une ferveur héritée du Moyen Age soutient encore, dans la peinture religieuse espagnole ces formes de saints ou de saintes ailleurs si pompeusement oratoires ou voluptueusement molles. Dans le portrait, le peintre espagnol individualise là où le peintre italien personnalise : un grand portrait italien du XVIe siècle est une méditation sur la beauté, sur l'ambition, sur la fougue de la jeunesse, voire sur la vieillesse et la ruse, comme le Paul III du Titien ; ces êtres pourtant uniques expriment plus qu'eux-mêmes ; ils contiennent en eux les aspirations les plus hautes ou les vices les plus secrets de la race, moments passagers d'un thème éternel. Ici, au contraire, le profond christianisme et le réalisme foncier de l'Espagne s'unissent pour revêtir d'une dignité et d'une *singularité* tragiques ce bossu, cette anémique infante, ce pouilleux, ce chevalier de Calatrava, marqués de caractéristiques individuelles qu'ils porteront jusqu'au tombeau, enfermés à l'intérieur d'un corps dans lequel il leur faudra se damner ou se sauver.

Même chez les plus grands, Velasquez, par exemple, dont le génie semble tirer de cette confrontation perpétuelle avec l'instant et l'objet des conclusions classiques, des leçons que nous devinons universelles, le sens de ces leçons nous reste mystérieux à force d'évidence, comme nous restent mystérieux dans la vie le secret et la raison d'être de chaque individu rencontré. Pas d'art plus dépouillé de métaphysique que cet art si nourri d'intentions religieuses : ce n'est pas la mort qui nous est présentée dans ce tableau de Valdez Léal dont Murillo disait qu'il pue, c'est un cadavre, et ce cadavre est un portrait. La Sainte Elisabeth de Murillo n'est pas le symbole de la charité : c'est une femme lavant un teigneux. Dans les images de saints en extase de Zurbaran ou d'Alonzo Cano, ce n'est pas la vision béatifique qui nous est montrée, c'est le regard du visionnaire. Cette obsession de l'individu marque le triomphe définitif de l'Occident sur l'Orient ; en même temps, le faste baroque élimine jusqu'à la dernière trace des raffinements arabes ou mudéjares. Mais des domaines entiers de l'humanisme classique continueront à rester étrangers à la peinture espagnole, par exemple, la gloire du nu. La *Vénus* de Velasquez est un chef-d'œuvre à contre-courant dans ce pays dominé par le préjugé chrétien, et, plus secrètement, par l'atavisme oriental, peut-être aussi trop pris par le détail, l'accidentel, et l'instantané pour se complaire au pur chant des formes. La *Maja desnuda* de Goya, point andalouse, mais qui n'étonnerait pas cigarière à Séville, rentre au contraire dans la tradition du réalisme individuel par son capiteux corps mal bâti. Même la chair brune et dorée des petits mendiants de Murillo est inséparable de leurs haillons, qui semblent une part de leur substance.

Dans la scène de genre ou la nature morte, l'école andalouse s'impose par ce même *réalisme* typiquement espagnol, et pour donner à ce mot sa pleine force, peut-être faut-il lui rendre le sens dialectique qu'il possédait dans la philosophie du Moyen Age. Non pas l'Essence ou l'Idée, mais la Chose. Non pas la méditation hallucinée d'un Rembrandt ou d'un Soutine sur les secrets de la matière, non pas la vision presque mystique d'un Vermeer ou le réagencement intellectuel et formel d'un Chardin ou d'un Cézanne. Mais l'objet lui-même, ce poisson, cet oignon, cet œillet, ce citron à côté de cette orange. On a d'ailleurs trop peu fait remarquer que ces puissants peintres réalistes de l'école de Séville ne donnent pourtant de leur pays qu'une image, extraordinairement intense il est vrai, mais limitée à certains aspects presque obsessionnels de l'Espagne : l'indolence ou la légèreté sévillanes en sont presque absentes. Jusqu'à Goya qui croquera les belles promeneuses madrilènes (les laides aussi) ou le tohu-bohu des pèlerinages du même trait net qu'il note ailleurs un accident ou une échauffourée sur la place publique, la peinture espagnole a rarement essayé de rendre librement la vie au dehors et en plein jour. Les peintres flamands, florentins ou vénitiens nous en apprennent plus, respectivement, sur leur ciel et sur l'air des rues que les peintres de l'âge d'or sévillan sur Séville.

Certains pays meurent jeunes, ou s'arrêtent jeunes : tout ce qui suit leur brève période de vigueur est du domaine de la survie ou de la résurrection. L'Espagne ne s'est jamais remise de la courbature de ses aventures impériales, de l'or facile du Nouveau Monde, de la saignée qu'elle s'est infligée à elle-même en expulsant de ses veines jusqu'aux dernières gouttes juives ou maures. L'Andalousie surtout a souffert de cette espèce d'auto-da-fé perpétré en l'honneur de l'idéal castillan de la race. La légende et l'idéologie espagnoles proprement dites sont castillanes : l'Andalousie se fond dans ce brûlant concert de l'Espagne chrétienne, et n'y ajoute que quelques émouvantes variations mystiques ou charnelles. Presque toutes ont pour thème une quête : ces figures d'histoire et de légende se définissent toutes par ce puissant mot *quero* qui signifie à la fois aimer et chercher. Jeanne la Folle suivant le long des routes un cercueil, couvant son mort ; Jean de la Croix penché à la fenêtre face au spectacle sublime de la Sierra Nevada et de la Vega de Grenade, écartant de son esprit ces formes à demi visibles à la lueur des étoiles, cherchant dans la nuit Dieu ; Miguel Mañara allant de femme en femme dans les rues du Barrio de la Cruz avant de finir sa vie sous l'habit de serviteur des pauvres, oublieux sans doute de la triste voix d'Elvire ; plus près de nous l'insatiable Dona Belize et l'impitoyable Bernarda. Belles images, faits plus ou moins isolés pourtant dans l'expérience de la race, qui nous montrent surtout ce qu'un peuple a cru trouver en soi d'essentiel. Terre de poètes, qu'hier encore Garcia Lorca mouillait de son sang. Terre de poètes surtout en ce qu'elle a été perpétuellement aimée et recréée à distance, dans les plaintes des poètes arabes pleurant Grenade perdue, et aussi dans l'œuvre des poètes occidentaux d'outre-mont et d'outre-mer. Pour que Miguel Mañara devienne et reste Don Juan, pour que la quête amoureuse du cavalier andalou serve de pendant à la quête héroïque et castillane de Don Quichotte dans l'histoire de l'aspiration humaine à l'impossible, il a fallu Tirso de Molina, il a fallu surtout Molière, et Mozart, et Byron, et tel conte de Balzac, et tels vers de Baudelaire, et, de nos jours encore, telle farce tragique de Montherlant.

Et nous commençons à comprendre ce qui nous touche dans ce pays, et parfois nous bouleverse : le contact direct avec la réalité, le poids brut de l'objet, l'émotion ou la sensation forte et simple, antique et toujours neuve, dure ou douce comme l'écorce ou comme la pulpe d'un fruit. Cette terre si célébrée est merveilleusement vierge d'artifices littéraires ; la préciosité même de certains de ses poètes ne l'affecte pas. Ce sol d'où jaillirent tant de chefs-d'œuvre n'est pas d'emblée senti, comme l'Italie, une patrie privilégiée des arts, mais la vie y bat comme le sang dans une artère. Peu de contrées ont été plus dévastées par la fureur des guerres de religions, de races et de classes ; si nous supportons le souvenir de tant de fureurs inexpiables, c'est qu'elle nous apparaissent ici plus nues, plus spontanées et moins hypocrites qu'ailleurs, presque innocentes dans leur aveu du plaisir qu'a l'homme de faire du mal à l'homme. Pas de pays plus dominé par une religion puissante qui favorise le plus souvent la bigoterie et l'intolérance, mais pas de pays non plus où l'on sente davantage, sous le brocart des dévotions ou sous la pierre des dogmes, sourdre la ferveur humaine ; pas de pays plus lié, mais aussi pas de plus libre, de cette rudimentaire et suprême liberté faite de dépouillement, de pauvreté, d'indifférence, du goût de vivre et du mépris de mourir.

Enumérons nos délices : Grenade était belle, mais ce rossignol qui chanta toutes les nuits, cette gorge brune gonflée de sons nous en apprit tout autant sur la poésie arabe que les inscriptions de l'Alhambra. A Cadix, au bord de l'Océan, parmi les blocs submergés qui sont peut-être ceux du temple de l'Hercule gadéditain, ce jeune garçon aux jambes brunes, enfoncé jusqu'à mi-cuisses dans l'eau pâle et bleue comme ses haillons délavés, soucieux seulement des profits et des déconvenues de sa pêche, ne nous émouvait pas moins qu'une statue antique trouvée à fleur d'eau ; cette vieille religieuse à demi aveugle qui nous montrait sans les voir les tableaux de l'Hôpital de la Caridad prend place dans nos souvenirs à côté des figures peintes ; l'immensité massive de la Cathédrale de Séville semblait expliquée, ou justifiée peut-être, par la présence d'une femme solitaire priant les bras en croix. Moins encore, ou mieux encore : je pense à ces deux paysans couchés au bord de la route dans leurs vêtements de laine rayée, à ce tas de moutons égorgés dans une charrette au seuil d'un boucher, pleine de la présence obscène et candide de la mort, à ces fleurs un peu moites, froissées par les mains tièdes d'un petit mendiant, à ce pain sur une table que survole insidieusement une mouche, à cette grenade d'où gicle un jus rose...

Achevé d'imprimer
le 15 novembre 1982
sur les presses
de l'Imprimerie A. Robert
24, rue Moustier - 13001 Marseille
pour le compte
des Editions Rivages
10, rue Fortia - 13001 Marseille

Cet ouvrage a été tiré à 4 000 exemplaires

Dépôt légal : 4e trimestre 1982